Schulausgabe

Zu diesem Titel sind
Ravensburger Materialien zur Unterrichtspraxis
erhältlich.

Nähere Informationen finden Sie
am Ende des Buches.

Mai · Schliehe · Mark

Nur für einen Tag

Dieses Buch gehört:

Manfred Mai

Nur für einen Tag

Mit Bildern von
Karin Schliehe und Bernhard Mark

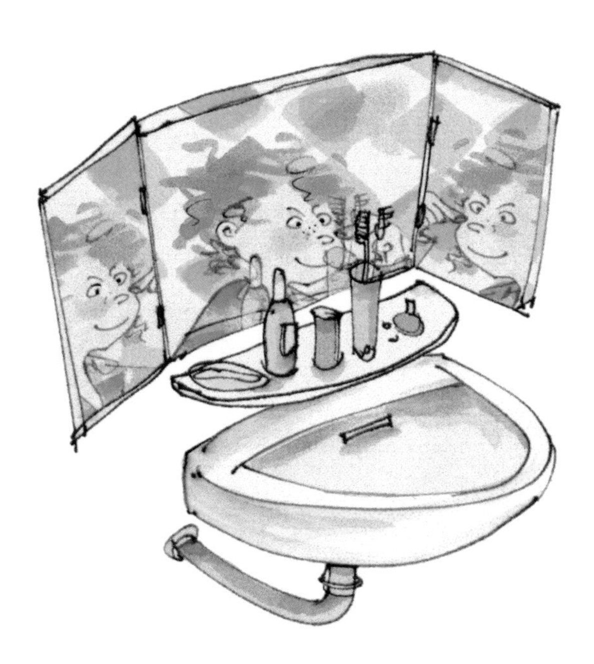

Ravensburger Buchverlag

Die Deutsche Bibliothek – CIP-Einheitsaufnahme

Ein Titeldatensatz für diese Publikation ist bei
Der Deutschen Bibliothek erhältlich

Die Schreibweise entspricht den Regeln der neuen Rechtschreibung.

3 2 1 02 03 04

Ravensburger Blauer Rabe

Umschlagbild: Karin Schliehe und Bernhard Mark
Redaktion: Denise Vöhringer
Printed in Germany
Normalausgabe ISBN 3-473-34158-4
Schulausgabe ISBN 3-473-38052-0

1.

Anna soll Zähne putzen.
Sie tupft sich
einen rosa Zahnpastapunkt
auf die Nase.
Dann versucht sie
ihn abzuschlecken.
Das geht aber nicht.
„Was machst du denn?“,
fragt Papa.

„Du sollst doch Zähne putzen."
Anna strahlt ihn an.
„Sieht schön aus, was?",
sagt sie.
„Geputzte Zähne wären schöner",
sagt Papa.
„Nö, glaub ich nicht."
„Aber ich!"
Anna drückt neue Zahnpasta
auf die Zahnbürste.

„Nicht so viel!“, sagt Papa
und nimmt ihr die Tube
aus der Hand.
„Und mach endlich voran!“
„Erzählst du mir trotzdem
eine Gutenachtgeschichte?“,
fragt Anna vorsichtig.
Papa schraubt
die Zahnpastatube zu.
Dann brummt er:
„Das muss ich mir
noch gut überlegen.“

2.

Anna liegt im Bett.
Papa kommt ins Zimmer.
Er hat ein Buch in der Hand.
„Nicht vorlesen", sagt Anna,
„lieber erzählen!"
„Erzählen?"
Papa runzelt die Stirn.
„Hm. Lass mich mal überlegen ..."
Er reibt sich das Kinn,
dann erzählt er:
„Also, da war mal eine Familie,
der ging es gar nicht schlecht.
Trotzdem hatte der Vater
manchmal schlechte Laune.
Nämlich wegen der Arbeit.
Und wenn die Tochter

dann Quatsch machte,
anstatt sich ordentlich
die Zähne zu putzen,
dann konnte es sein,
dass er mit ihr schimpfte …“

„Das ist gar keine Geschichte“,
sagt Anna,
„das ist von uns!“
„Ach wirklich?“, sagt Papa.
„Ja. Du willst mir bloß
wieder was erklären.“
Anna ist sauer.
Papa lächelt.
„Und die Tochter
machte nicht nur Quatsch“,
sagt er,
„sie war auch sehr klug.“
„Sie war überhaupt nicht klug!“,

sagt Anna
und zieht sich die Decke
über den Kopf.
„Und überhaupt …“,
jetzt strampelt sie
die Decke wieder weg,
„… und überhaupt ist Schule
auch Arbeit.
Wenn du’s nicht glaubst,
geh doch selber mal hin!“

„In die Schule?“, fragt Papa.
„Ja.“
„Das geht wohl leider nicht“,
sagt Papa.
„Und warum nicht?“, fragt Anna.
„Weil … weil …“
„Weil du dich nicht traust“,
sagt Anna
und schlüpft wieder unter die Decke.

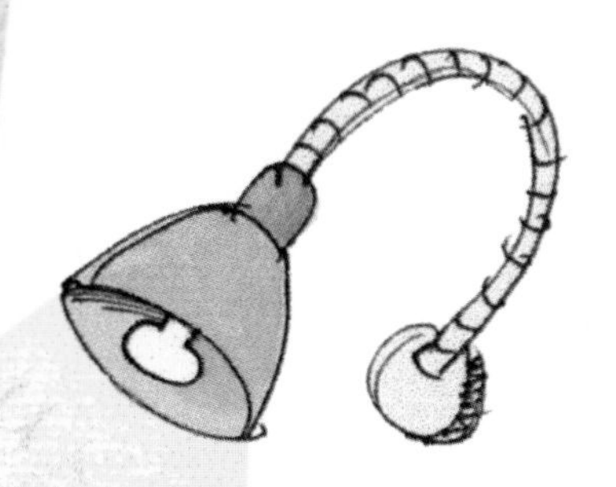

„He, he, halt mal!“, ruft Papa.
„Wer sagt denn,
dass ich mich nicht traue?“
„Ich!“, ruft Anna unter der Decke.
„Unsinn!“, sagt Papa.
Anna schlägt die Decke zurück.
„Gut“, sagt sie.
„Dann können wir ja
morgen tauschen.“
„Tauschen?“
„Ja. Du gehst in die Schule
und ich geh’ ins Büro.
Nur für einen Tag.“

3.

Am nächsten Morgen,
Viertel nach sieben:
Anna, Papa und Mama
haben schon gefrühstückt.

„Wo ist mein Pausenbrot?"
„Der doofe Pulli ist zu eng!"
„Wer hat meine Schuhe gesehen?"
„Wie spät ist es eigentlich?"

Das Morgen-Durcheinander
ist heute schlimmer
als gewöhnlich.
Mama schüttelt den Kopf.
„Wollt ihr's euch nicht
noch mal überlegen?",
fragt sie.

„Nein", antworten Anna und Papa.

Dann nehmen sie ihre Sachen
und gehen los zur Bushaltestelle.
Der Bus hat
fünf Minuten Verspätung.
Vor der Schule steigt Papa aus.
„Sei brav!“,
ruft ihm Anna nach.
„Und pass schön auf,
was die Lehrerin sagt!“
Anna fährt zwei Haltestellen weiter.
Zum Büro.

4. Grau & Söhne Kleiderfabrik

steht an dem Gebäude.
Anna geht zum Haupteingang hinein
und eine Treppe hoch,
dann nach rechts
einen langen Flur entlang.
An der vierten Tür links steht:
H. SCHLAGENHAUF.

Das muss es sein.
Anna will erst anklopfen.
So ein Unsinn!
Wer klopft denn bei sich selber an.
Sie öffnet die Tür,

geht hinein
und schaut sich um.
In dem Zimmer ist alles weiß!
Weiße Wände,
weiße Schränke,
alles ist weiß.

Das Zimmer gefällt ihr
überhaupt nicht.
Hier fühlt sie sich nicht wohl.
Und wo sie sich nicht wohl fühlt,
kann sie auch nicht arbeiten.
Anna stellt ihre Tasche ab,
da sieht sie den Stuhl.
„Wenigstens ein Drehstuhl“,
denkt sie
und setzt sich gleich drauf.
Anna fährt
ein paar Runden Karussell.

Plötzlich klopft es an die Tür.
„Herein!“, sagt Anna.
Eine Frau kommt ins Zimmer.
„Guten Morgen!“, sagt sie.
„Sie sind neu bei uns, nicht wahr?“
„Ja“, sagt Anna.
„Ich heiße Anna
und mein Papa kommt heute nicht.“
„Angenehm“, sagt die Frau.
„Ich heiße Altmann
und bin hier
die Sekretärin.“

5.

steht über der Eingangstür.
Papa geht hinein
und eine Treppe hoch,
dann links
einen langen Flur entlang.
An der vierten Tür rechts steht:
KLASSE 2b.

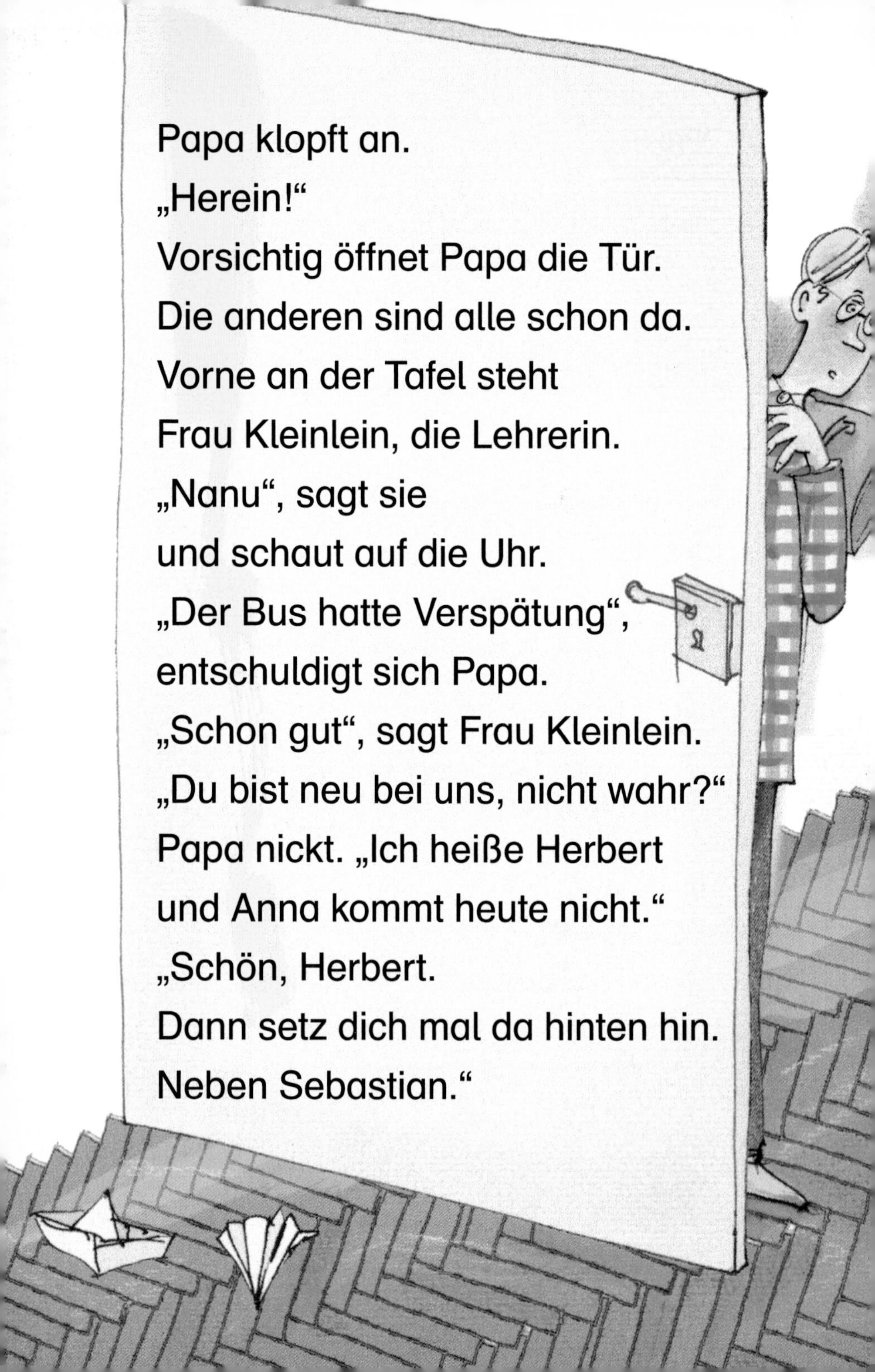

Papa klopft an.
„Herein!“
Vorsichtig öffnet Papa die Tür.
Die anderen sind alle schon da.
Vorne an der Tafel steht
Frau Kleinlein, die Lehrerin.
„Nanu“, sagt sie
und schaut auf die Uhr.
„Der Bus hatte Verspätung“,
entschuldigt sich Papa.
„Schon gut“, sagt Frau Kleinlein.
„Du bist neu bei uns, nicht wahr?“
Papa nickt. „Ich heiße Herbert
und Anna kommt heute nicht.“
„Schön, Herbert.
Dann setz dich mal da hinten hin.
Neben Sebastian.“

In der ersten Stunde
haben sie Rechnen.
Das macht Papa Spaß.
Er meldet sich dauernd.
„Richtig, Herbert“,
sagt Frau Kleinlein jedes Mal,
wenn er etwas weiß.
„Mannomann!“,
stöhnt Sebastian.

In der zweiten Stunde
haben sie Deutsch.
Das findet Papa langweilig.
Er passt nicht mehr auf.
Und er kann auch nicht
so lange still sitzen.

„Herbert, hörst du nicht?!“,
sagt Frau Kleinlein
schon zum zweiten Mal.
Papa erschrickt.
Er war mit seinen Gedanken
ganz weit weg.
„Du hörst ja gar nicht zu!“,
schimpft Frau Kleinlein.
„So hat das natürlich keinen Zweck.
Du musst schon aufpassen!“
Dann stellt sie sich
genau hinter Papa.
„Und zappel nicht so rum!“
Sie lässt Papa keine Ruhe.
Er möchte gern etwas sagen.
Aber Frau Kleinlein
guckt ganz streng
und legt den Finger auf den Mund.

6.

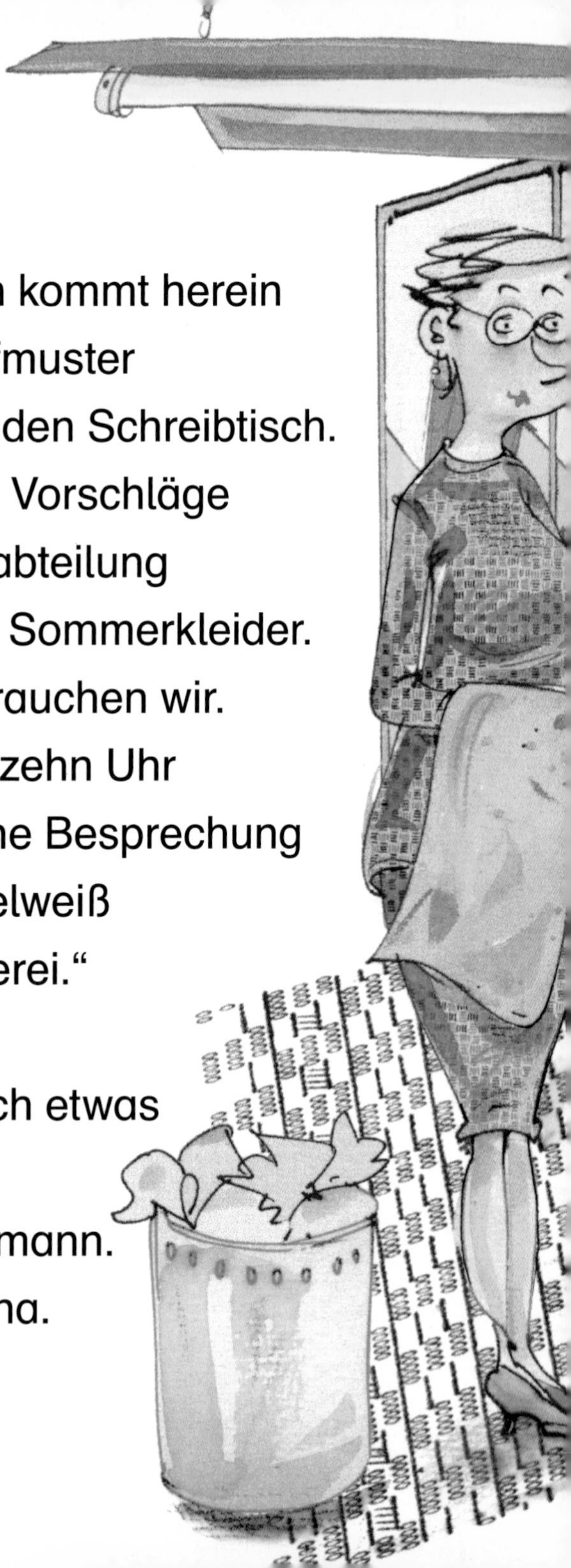

Frau Altmann kommt herein
und legt Stoffmuster
vor Anna auf den Schreibtisch.
„Das sind die Vorschläge
aus der Stoffabteilung
für die neuen Sommerkleider.
Fünf Stoffe brauchen wir.
Und um sechzehn Uhr
haben Sie eine Besprechung
mit Herrn Edelweiß
von der Färberei.“
Anna nickt.
„Kann ich noch etwas
für Sie tun?“,
fragt Frau Altmann.
„Ja“, sagt Anna.

„Besorgen Sie mir Kissen und …
Poster für die schrecklichen Wände
und … Blumen.
Viele Blumen.
Und eine Tafel Schokolade.“
„Vollmilch?“, fragt Frau Altmann.
„Ja“, sagt Anna.
„Oder nein: lieber Trauben-Nuss.“
„Kissen, Poster, Blumen,
Trauben-Nuss“,
wiederholt Frau Altmann.

„Ist das alles?"

„Nein", sagt Anna.

„Bringen Sie mir noch
Malpapier und Wasserfarben mit."

„Papier und Wasserfarben."

Sie zögert.

„Äh, darf ich fragen wozu?"

Anna zeigt auf die Muster:
„Die gefallen mir alle nicht."

7.

Endlich klingelt die Pausenglocke.
Papa stürmt aus der Klasse
und läuft dem Rektor
genau vor den Bauch.
„Hoppla!“, sagt der Rektor.
„Du hast es aber eilig.“
Er hält Papa am Arm fest.
„Entschuldigung!“, sagt Papa.
„Du bist wohl neu bei uns?“,
fragt der Rektor.
Papa nickt.
„Dann merk dir eins:
Wir benehmen uns hier,
wie es sich gehört,
und laufen nicht wie
verrückt durchs Haus.

Verstanden?“
Papa nickt wieder.
„Das will ich auch hoffen“,
sagt der Rektor und lässt ihn los.
Papa geht lieber zurück
in die Klasse.

Er hat jetzt Hunger
und holt sein Brot
aus der Tasche.

Als er hineinbeißt,
klingelt es schon wieder.
Die Pause ist zu Ende.
Frau Kleinlein kommt herein
und setzt sich an den Lehrertisch.
„Herbert!“, sagt sie ärgerlich.
„Gegessen wird in der großen Pause,
das weißt du doch.“

„Ich hab' aber Hunger", sagt Papa.
„Dann musst du morgens
richtig frühstücken!"
„Da bring' ich noch nichts runter",
sagt Papa.
Die anderen lachen.
„Dann kann ich dir
auch nicht helfen",
sagt Frau Kleinlein.
„Jetzt isst du jedenfalls nicht."
Papa packt sein Brot wieder ein.
So was Blödes!
Frau Kleinlein schreibt
das Stundenthema an die Tafel:

Alle sollen das Haus malen,
in dem sie am liebsten
wohnen möchten.
„Lasst eurer Fantasie freien Lauf!“,
sagt Frau Kleinlein.
Die Kinder fangen an zu malen.
Baumhäuser.
Und Pilzhäuser.
Fliegende Häuser
und ein Haus
auf den Wolken.
Dann Glashäuser,
manche rund,
manche eckig.
Ein Autohaus.
Und ein Ballonhaus.

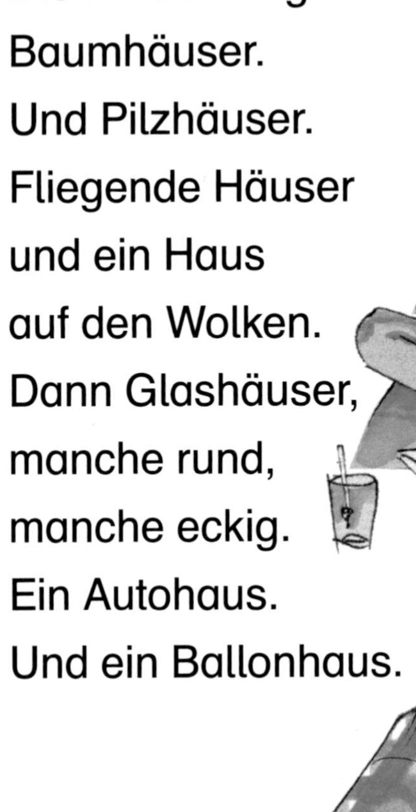

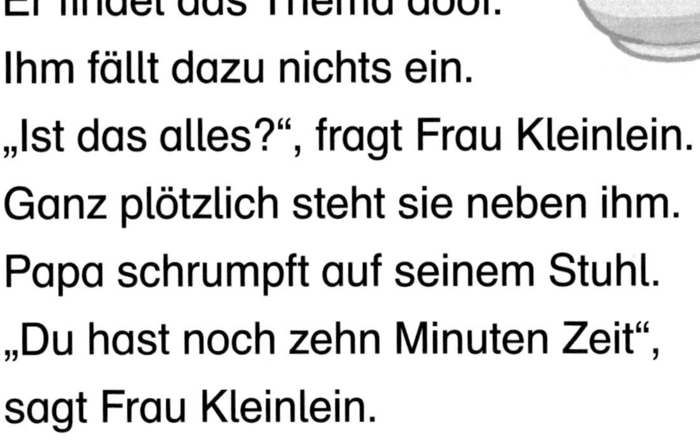

Das malt Sebastian.
Papa kritzelt lustlos
auf seinem Blatt herum.
Er findet das Thema doof.
Ihm fällt dazu nichts ein.
„Ist das alles?“, fragt Frau Kleinlein.
Ganz plötzlich steht sie neben ihm.
Papa schrumpft auf seinem Stuhl.
„Du hast noch zehn Minuten Zeit“,
sagt Frau Kleinlein.
„Dann möchte ich auch von dir
ein Traumhaus sehen.“
Papa ist wütend.
Er fängt an,
Sebastians Ballonhaus abzumalen.
Nur malt er statt der Tür
einen Raubtierrachen.
Mit vielen scharfen Zähnen.

8.

Frau Altmann kommt zurück
in Annas Büro.
Sie ist schwer bepackt mit Kissen,
Postern, Blumen und Malsachen.
Die Tafel Schokolade muss sie
mit den Zähnen halten.
„'o 'ollen die 'achen 'in?“,
fragt sie.
„Da auf den Schreibtisch, bitte“,
sagt Anna und nimmt ihr
die Tafel aus dem Mund.
„Die ess' ich gleich“, sagt sie.
„Mögen Sie auch ein Stück?“
„Gern“, sagt Frau Altmann.
Schokolade bei der Arbeit
schmeckt besonders gut.

Schoko
BEYER
BEYER
MODE
Li

„Wir müssen uns noch überlegen …“,
sagt Anna
und leckt sich die Finger ab,
„… wir müssen uns noch überlegen,
wer was macht.
Wollen Sie lieber
das Zimmer schöner machen
oder lieber Stoffmuster malen?“
„Das Zimmer schöner machen“,
sagt Frau Altmann.
Dann gehen sie an die Arbeit.
Anna malt Muster,
Frau Altmann macht
das Zimmer schön.
Mit Postern und Blumen.
Und Kissen.

Daraus baut sie
eine Kuschelecke.
„Fertig“, sagt sie.
„Ich auch gleich“, sagt Anna.
Ihr Pulli ist schon ganz bunt.
Ihr Gesicht ist bunt.
Ihre Hände sind bunt.

Alles ist bunt.
Sie sieht aus wie ein Papagei.
Und jetzt sind auch
die Muster so schön,
wie Anna sie haben will.
„Wie gefällt Ihnen das Zimmer?“,
fragt Frau Altmann.
„Viel besser“, sagt Anna.
„Mir auch“, sagt Frau Altmann. 
„Ich glaube,
ich werd’s in meinem Zimmer
auch so versuchen.“
Dann breitet Anna ihre Blätter
auf dem Schreibtisch aus.
„Und wie gefallen Ihnen
die neuen Muster?“
„Hm“, sagt Frau Altmann.
„Ja … doch … irgendwie …“

9.

Bei schönem Wetter ist Sport
immer auf dem Sportplatz.
„Schön mit den Händen
auf den Boden!“,
ruft Frau Kleinlein.
Papa mag Gymnastik nicht.
Überhaupt nicht.
Er steht in der letzten Reihe.
Da kann ihn Frau Kleinlein
nicht so gut sehen.
„Der Herbert schummelt!“,
ruft ein Junge neben ihm.
„Der drückt die Knie nicht durch!“
„Stimmt ja gar nicht!“, ruft Papa.
„Stimmt wohl!“
„Man petzt nicht, junger Mann!“,

sagt Frau Kleinlein.
Papa streckt dem Jungen
die Zunge raus.
„Bäh!“
Nach der Gymnastik ist Wettlaufen.
Einmal um den Platz.
Frau Kleinlein gibt das Kommando.
„Auf die Plätze …
fertig …
los!“

Das Rennen beginnt.
Alle stürmen los.
Durch die erste Kurve …
die Gegengerade hoch …
durch die zweite Kurve …
und auf die Zielgerade.
Noch fünfzig Meter bis zum Ziel.
Robert ist Erster,

Melanie ist Zweite,
Daniela Dritte
und Thorsten Vierter.
Papa und Sebastian sind Letzte.
„Los, ihr beiden!“, ruft Frau Kleinlein.
„Endspurt!“
Da beginnt Papa zu spurten.
Er überholt Martina,
Dieter und Heike.
Wird schneller.
Überholt auch Katja und Benni.
Überholt Thorsten.
Wird immer schneller.
Überholt Daniela und Melanie.
Nur Robert ist noch vor ihm.
Noch zehn Meter bis zum Ziel.
Noch fünf,
noch drei …

Gewonnen!
Papa hat gewonnen.
„Bravo, Herbert!“,
ruft Frau Kleinlein.
„Kunststück!“,
sagt Robert.
„Mit so langen Beinen.“
Er ist stinksauer.
Frau Kleinlein klatscht
schon wieder in die Hände.
„Los, Kinder, wir wollen
doch noch Fußball spielen!
Robert und Katja, ihr wählt!“
Robert und Katja wählen.
Einmal Robert, einmal Katja.
Als Letzter steht noch Papa da.
„Den könnt ihr haben!“, sagt Robert.
So spielt Papa bei Katja mit.

Linker Verteidiger.
Fußballspielen konnte Papa
noch nie.
Zweimal trifft er den Ball nicht.
„Pass doch auf, du Flasche!“,
ruft Katja.
Das nächste Mal trifft Papa.
Der Ball geht ins Tor.
Aber ins falsche.

10.

Anna und Frau Altmann
haben die fünf schönsten Muster
ausgesucht.
„Ich bringe sie gleich
in die Stoffabteilung“,
sagt Frau Altmann
und sammelt die Blätter ein.
„Gut“, sagt Anna.
„Und sagen Sie,
die Stoffe sollen genau so werden.
Unbedingt.“
Frau Altmann nickt:
„Genau so. Natürlich.“
Dann geht sie hinaus.
Anna macht es sich
in der Kuschelecke gemütlich.

Es ist noch
etwas Schokolade übrig.
„Arbeiten macht
ganz schön müde“,
denkt sie.
„Fast so wie Schule.“
Frau Altmann kommt zurück.
„Geht alles in Ordnung“, sagt sie.

Anna muss gähnen.
„Wie spät ist es eigentlich?“,
fragt sie.
„Viertel nach drei.“
„Schon?“, sagt Anna.
„Dann haben wir für heute
genug gearbeitet.
Überhaupt soll man nicht
so lange arbeiten bei dem Wetter.
Feierabend!
Wir geh’n ins Schwimmbad.“
„Und die Besprechung
mit Herrn Edelweiß?“,
fragt Frau Altmann.
„Hat Zeit bis morgen.
Rufen Sie ihn an,
ob er seine Badehose dabeihat.
Er soll mitkommen ins Schwimmbad.“

11.

Beim Abendbrot schafft Papa
nur ein heißes Würstchen.
„Was ist denn?“,
will Mama von ihm wissen.
„Ich kann nicht mehr“, stöhnt Papa
und schiebt den Teller weg.
„Und wie war’s in der Schule?“,
fragt Anna.
„Och“, sagt Papa.

„Och ist keine Antwort“, sagt Anna.
„Also gut“, sagt Papa.
„Albern war’s.“
„Wieso albern?“, fragt Anna.
„Weil man nie essen darf,
wenn man Hunger hat.“
„Dann iss doch jetzt“, sagt Mama.
„Jetzt hab’ ich keinen Hunger.“
„Und wie war’s im Sport?“,
fragt Anna.
„Och“, sagt Papa,
„ganz gut.
Beim Wettrennen
hab’ ich gewonnen.“

„Wirklich?“, fragt Anna.
„Ja. Und beim Fußballspielen
hab’ ich ein Tor geschossen.“
„Du?“, fragt Mama.
„Jawohl, ich“, sagt Papa.
„Toll!“, sagt Anna.
„Da bist du jetzt
bestimmt sehr müde.“
„Och“, sagt Papa,
„eigentlich gar nicht.“
„Doch, doch“, sagt Anna.
„Es ist auch gleich halb acht.
Da geh’n wir schön ins Bett.“
„Immer ins Bett“, brummt Papa.
Dann steht er auf
und will aus dem Zimmer.
„Zähne putzen nicht vergessen!“,
ruft ihm Anna hinterher.

Papa dreht sich um.
„Och nö, heute nicht."
„Doch, doch.
Sonst kommen heute Nacht
die kleinen Zahnteufelchen …"

12.

Papa liegt im Bett.
Anna kommt ins Zimmer.
Sie hat ein Buch in der Hand.
„Nicht vorlesen“,
sagt Papa, „erzählen!“
„Was erzählen?“, fragt Anna.
„Wie’s im Büro war.“
„Hm.“
Anna setzt sich auf die Bettkante.
Dann erzählt sie:
„Also, es war toll.
Aber das Büro
hat mir gar nicht gefallen.
Da haben wir’s viel schöner gemacht
mit Postern und Blumen
und einer Kuschelecke.

Die hat Frau Altmann gebaut
aus ganz vielen Kissen.“
„Eine Kuschelecke?“, fragt Papa.
„Ja, und ich hab’
neue Stoffmuster gemalt.
Die anderen waren so langweilig.
Die hätten keine schönen
Sommerkleider gegeben,
das sagt Frau Altmann auch.“

„Frau Altmann?“, fragt Papa.
„Ja, und sie hat die neuen Muster
gleich in die Stoffabteilung gebracht,
das geht in Ordnung.“
„In Ordnung“, seufzt Papa.
„Ja, und dann war es
Viertel nach drei,
da haben wir Feierabend gemacht

und sind schwimmen gegangen.“
„Um Viertel nach drei?!“, sagt Papa
und setzt sich im Bett auf.
„Ja, um Viertel nach drei“,
sagt Anna.
„Und jetzt ist es Viertel nach acht.
Höchste Zeit
das Licht auszumachen."
„Ja, aber …“, sagt Papa.
„Nichts aber.
Jetzt wird schön geschlafen,
sonst kommst du morgen
wieder nicht aus den Federn!“
Anna deckt Papa zu
und gibt ihm einen Gutenachtkuss.
Sie löscht das Licht
und geht auf Zehenspitzen
aus dem Zimmer.

Ravensburger Materialien zur Unterrichtspraxis

- handlungsbezogen
- produktionsorientiert
- fächerverbindend

Ravensburger Materialien zur Unterrichtspraxis – früher unter dem Namen Ravensburger Arbeitshilfen – werden seit 1987 zu ausgewählten Kinder- und Jugendbüchern des Verlages hergestellt. Das Angebot umfasst derzeit über fünfzig Titel und wird ständig erweitert.

Ravensburger Materialien zur Unterrichtspraxis sind eine wertvolle Hilfe zur Unterrichtsvorbereitung – sowohl im Fach Deutsch als auch in benachbarten Fächern wie Religion, Ethik, Geschichte oder Sozialkunde. Nutzen Sie die vielen Pluspunkte der Ravensburger Materialien zur Unterrichtspraxis:

- von LehrerInnen für LehrerInnen entwickelt
- im Unterricht erprobt
- orientiert an den Lehrplänen der Länder
- mit Kopiervorlagen für Arbeitsblätter
- interessante Begleitmaterialien wie Lesehefte oder Spielpläne

Ravensburger Materialien zur Unterrichtspraxis tragen durch einen vielseitig-kreativen Umgang mit Büchern dazu bei, die Lust am Lesen frühzeitig anzuregen, zu fördern und zu verstärken.

Nutzen Sie die Möglichkeit des kostenlosen Downloads unter unserer Internetadresse **www.ravensburger.de** oder bestellen Sie die Materialien über den Buchhandel oder gegen Einsendung einer Portopauschale von € 1,53 direkt beim

Ravensburger Buchverlag
Pädagogische Arbeitsstelle
Postfach 1860

88188 Ravensburg